# LES HAUTS ET LES BAS D'AMANDA

# À maman et papa, qui m'ont toujours encouragée à essayer

Catalogage avant publication de Bibliothèque et Archives Canada

Spires, Ashley, 1978-
[Thing Lou couldn't do. Français]

Les hauts et les bas d'Amanda / Ashley Spires, auteure et illustratrice; texte français
de France Gladu.
Traduction de : The thing Lou couldn't do.
ISBN 978-1-4431-5962-3 (couverture souple)

I. Gladu, France, 1957-, traducteur II. Titre. III. Titre: Thing Lou couldn't do. Français.

PS8637.P57T4514 2017          jC813'.6          C2016-905883-2

Édition publiée par les Éditions Scholastic, 604, rue King Ouest, Toronto (Ontario) M5V 1E1,
avec la permission de Kids Can Press Ltd.

5 4 3 2 1    Imprimé en Chine CP130    17 18 19 20 21

L'artiste a réalisé les illustrations à l'aide d'un ordinateur après avoir procrastiné quelque peu,
traînassé légèrement et écouté plusieurs laïus d'encouragement.

Le texte a été composé avec les polices de caractères Janda Safe and Sound et Two Is Better
Than One.
Conception graphique : Karen Powers.

# LES HAUTS ET LES BAS D'AMANDA

ASHLEY SPIRES

Texte français de
FRANCE GLADU

Éditions
**SCHOLASTIC**

Voici AMANDA.

Amanda et ses amis sont des aventuriers **INTRÉPIDES.**

Ils courent plus **VITE** que les avions.

Ils bâtissent de **SOLIDES** forteresses.

Ils secourent des animaux **SAUVAGES.**

Amanda est presque certaine qu'elle deviendra **PLONGEUSE EN HAUTE MER,** quand elle sera grande.

Ou bien **COUREUSE AUTOMOBILE.**

Ou peut-être **PIRATE.**

Ça, c'est quelque chose de nouveau.
Amanda n'a jamais grimpé à un arbre.

— Ce sera une aventure! dit son amie.

Amanda adore les aventures, mais cette aventure se passe en HAUT.

Et elle préfère les aventures qui se passent en BAS.

Alors, Amanda propose un jeu
**PAS-EN-HAUT-D'UN-ARBRE.**

Mais ses amis ne démordent pas de leur idée.

Allez, viens, Amanda!

Le dernier arrivé subira le supplice de la planche!

Elle ira dans une minute. Elle doit d'abord changer de chaussures.

De l'avis du capitaine Amanda Barberousse, le canapé fait un formidable bateau de pirates. Mais sa mère n'est pas d'accord.

ENTENDU. Mais son second vient aussi.

Amanda leur dit qu'elle a mal au bras.

De plus, elle doit promener le chat.

Et puis, elle a lu quelque part qu'il ne fallait

pas grimper juste après un repas.

# Il y a TANT DE RAISONS de ne pas essayer!

J'ai marché sur une limace, ce matin. Ses funérailles sont dans cinq minutes.

Je viens de découvrir que je suis à moitié poisson. Alors, si vous voulez bien m'excuser, je serai dans la baignoire jusqu'à la fin de mes jours.

Un astéroïde fonce droit sur nous. SAUVE QUI PEUT!

J'ai mal au ventre. Je dois m'asseoir.

Nous allons t'apprendre!

Elle voudrait que ses amis la laissent tranquille. Elle est **TRÈS BIEN** en bas. Et puis, elle ne **VEUT** même pas grimper. Pourquoi est-ce si génial de monter aux arbres?

**EN FAIT,** ça semble assez génial.

Si seulement Amanda savait grimper
aux arbres.

Et si elle pouvait arriver en haut sans grimper?
Il doit exister **D'AUTRES MOYENS** de monter.

Avec un **TRAMPOLINE?**

Avec une **PERCHE?**

Avec un
# HÉLICOPTÈRE?

## L'ENNUI,

c'est que les
hélicoptères
ne courent
pas les rues.

Par ma barbe! C'est un appel à l'aide!
Ces **CHENAPANS** ont besoin
d'un capitaine...

Le moment est venu pour
le capitaine Amanda Barberousse
de **MONTER À BORD.**

Ce capitaine pirate a connu bien des horreurs : des monstres marins, des ouragans et même un terrible gel de cerveau! Mais cette fois, Amanda Barberousse va affronter l'un des pires obstacles qui soient. Oui, elle va GRIMPER À CET ARBRE!

HAARR...

HAN...

Elle y est
PRESQUE...

Enfin, PAS POUR L'INSTANT.

Ron-ron

Mais elle va revenir. Peut-être même demain.

Après tout, Amanda aime l'aventure!